ᐃᒪᒃᑯᑦ ᐃᖏᕐᕋᔾᔪᑎᑦ
IMAKKUT INGIRRAJJUTIT
WATER TRANSPORTATION

ᐅᓇ ᐅᒥᐊᖅ.

Una umiaq.

This is a boat.

HONDA

ALEXANDER B
ST. JOHN'S
UASC
CMA CGM
APL
OOCL
TS

ᐅᓇ ᐅᒥᐊᕐᔪᐊᖅ.

Una umiarjuaq.

This is a ship.

ᐅᓇ ᖃᔭᖅ.

Una qajaq.

This is a qajaq.

Johnson

ᐅᓇ ᖃᔭᕆᐊᖅ.

Una qajariaq.

This is a canoe.

ᐅᓇ ᓯᑯᓯᐅᑎ.

Una sikusiuti.

This is an icebreaker.

FORMOSA
FORMOSA

ᐅᓇ ᓂᐅᕋᐃᔾᔪᑎ.

Una niuraijjuti.

This is a barge.

ᐅᓇ ᖃᖓᑕᓲᕋᓛᖅ.

Una qangatasuuralaaq.

This is a floatplane.

Nunavummi